As-tu vu?

Les Pôles

Le pôle Nord et le pôle Sud

Pôle Nord

Même si on compare souvent le pôle Nord et le pôle Sud, ils sont très différents ! Le pôle Nord est situé au milieu d'une mer glacée appelée l'océan Arctique, tandis que le pôle Sud se trouve sur un immense continent appelé l'Antarctique.

Il y a environ 20 000 km qui séparent le pôle Nord du pôle Sud, ce qui correspond à 40 allers-retours entre Québec et Montréal ou environ 2 allers-retours entre Paris et Montréal ! Le pôle Nord et le pôle Sud sont les deux extrémités de l'axe imaginaire autour duquel tourne la Terre.

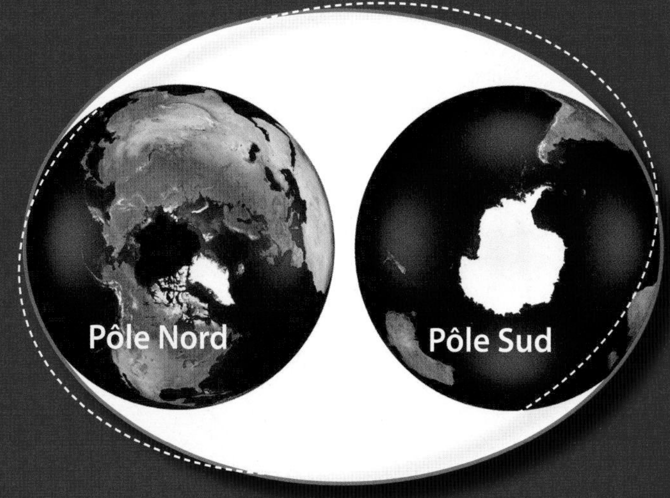

La géographie du pôle Nord

Le pôle Nord est représenté par la région blanche sur la photo.

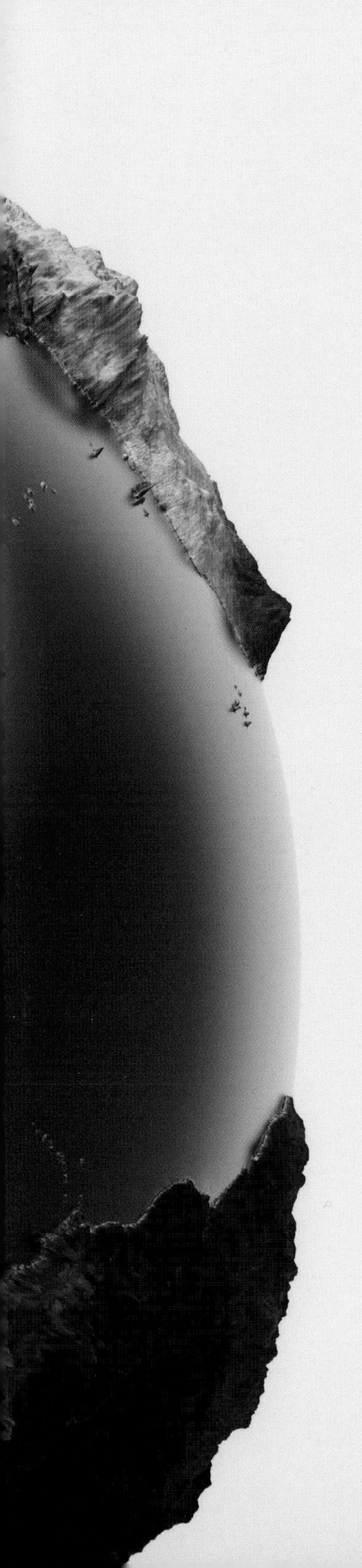

Le pôle Nord est le point le plus au nord de la planète. Il est situé au centre de l'océan Arctique, qui mesure environ 14 millions de km^2 ! Pour te donner une idée, cela équivaut à 1,4 fois la superficie du Canada !

Paysage du Groenland

Le Groenland est la plus grande île de la région arctique et correspond à 4 fois la taille de la France !

Les caractéristiques du pôle Nord

Coucher du soleil en Arctique

La glace qui surplombe l'océan Arctique mesure 2 ou 3 mètres d'épaisseur, soit environ 2 fois ta taille !

Comme le pôle Nord est l'un des points opposés de l'axe de rotation de la Terre qui est incliné vers le Soleil, les deux extrémités sont privées tour à tour d'ensoleillement durant l'hiver et de noirceur durant l'été. Au pôle Nord même, il fait nuit pendant les 6 mois d'hiver et il fait clair durant les 6 mois d'été !

Position du soleil face à la Terre

Le climat du pôle Nord

En plein cœur de l'hiver (janvier et février), les températures varient entre -26 °C et -43 °C pour une moyenne de -34 °C. Au Québec, il fait en moyenne autour de -15 °C en janvier, et on a de la difficulté à le supporter ! Brrr !

L'été, les températures au pôle Nord oscillent autour du point de congélation (0 °C), tandis qu'elles s'établissent en moyenne autour de 22 °C au Québec !

L'été du Québec ne ressemble en rien à celui du pôle Nord !

Un jeune renard polaire

Un ours polaire bien dodu !

Les animaux qui vivent au pôle Nord sont adaptés pour survivre dans un environnement glacial. Par exemple, l'ours polaire, qui vit dans l'Arctique, est doté d'une couverture de graisse et d'une fourrure pouvant atteindre 15 cm d'épaisseur, soit la longueur de ta brosse à dents !

Les ours polaires adultes pèsent en moyenne près de 500 kg, ce qui correspond au poids de 6 hommes de taille moyenne !

On retrouve aussi des phoques, des pingouins, des loups arctiques, des morses et des renards polaires ! Ceux-ci peuvent résister à une température de - 70 °C, laquelle est près de 4 fois plus froide que celle d'un congélateur !

Les aurores boréales

Les aurores boréales sont des phénomènes lumineux créés par l'interaction des particules électrisées envoyées par le soleil.

L'azote et l'oxygène sont les deux gaz responsables de ce phénomène. Ils provoquent des faisceaux lumineux qui nous offrent un paysage enchanté digne d'un conte de fées !

Le père Noël

Les Américains ont instauré l'idée que le père Noël provenait du pôle Nord. En 1983, Postes Canada a même décidé d'attribuer le code postal HOH OHO au pôle Nord en l'honneur de ce dernier.

Lors de sa tournée, le père Noël doit parcourir 40 000 km en une nuit, ce qui correspond à 5 allers-retours en voiture entre Montréal et Vancouver !

La géographie du pôle Sud

Le pôle Sud est le point le plus au sud de la planète Terre et il est diamétralement opposé au pôle Nord. Il est situé sur le continent Antarctique.

98 % de la surface de l'Antarctique est recouverte de glace mesurant environ 1,5 km d'épaisseur ! Cela correspond à 3 fois la hauteur de la tour du CN, à Toronto !

Crédit photo : Dreamie / Shutterstock.com

Les deux saisons de l'année !

Nuit d'été en Antarctique

Le pôle Sud est situé au centre de l’Antarctique, qui est le continent le plus élevé au monde avec une altitude moyenne de 2,3 km !

Au pôle Sud, l’été est à l’opposé du pôle Nord. Le soleil se lève vers la fin du mois de septembre et reste dans le ciel jusqu’à la fin du mois de mars ! C’est alors que la nuit tombe et se poursuit pendant 6 mois !

Antarctique en bas en blanc

La faune et la flore au pôle Sud

Une quarantaine d'espèces d'oiseaux vivent dans la région australe. Cela correspond à environ 200 millions d'individus ou à la population du Brésil !

On y retrouve aussi des manchots empereurs, des pingouins, des phoques, des cormorans et des otaries. Toutes ces espèces se nourrissent de krill antarctique, qui est l'animal le plus abondant sur Terre. On en compte en effet plus de 600 000 milliards sur la planète, soit environ 85 fois la population humaine mondiale !

Le climat du pôle Sud

Comme le pôle Sud est situé en altitude, qu'il y fait nuit pendant 6 mois et que le soleil reste très bas dans le ciel tout au long de l'été, il s'agit de l'une des régions les plus froides du monde. Pendant l'été (janvier et février), les températures moyennes oscillent autour de -25 °C et pendant l'hiver, les moyennes tournent autour de -45 °C !

Le record absolu de froid a été enregistré le 21 juillet 1983 à Vostok, à l'est du pôle Sud. Les températures ont alors atteint -89,2 °C ! Aïe !

Les blizzards

Lorsque les vents se lèvent, cette région désertique devient extrêmement vulnérable. Le vent se met à souffler à plusieurs centaines de kilomètres à l'heure et fait virevolter la neige et la glace en plus d'intensifier les températures glaciales.

Lors d'un blizzard, un brouillard blanc, épais et intense se forme, et il devient impossible de voir quoi que ce soit. Imagine la pire tempête de neige avec des vents 3 fois plus puissants et des températures 4 fois plus froides !

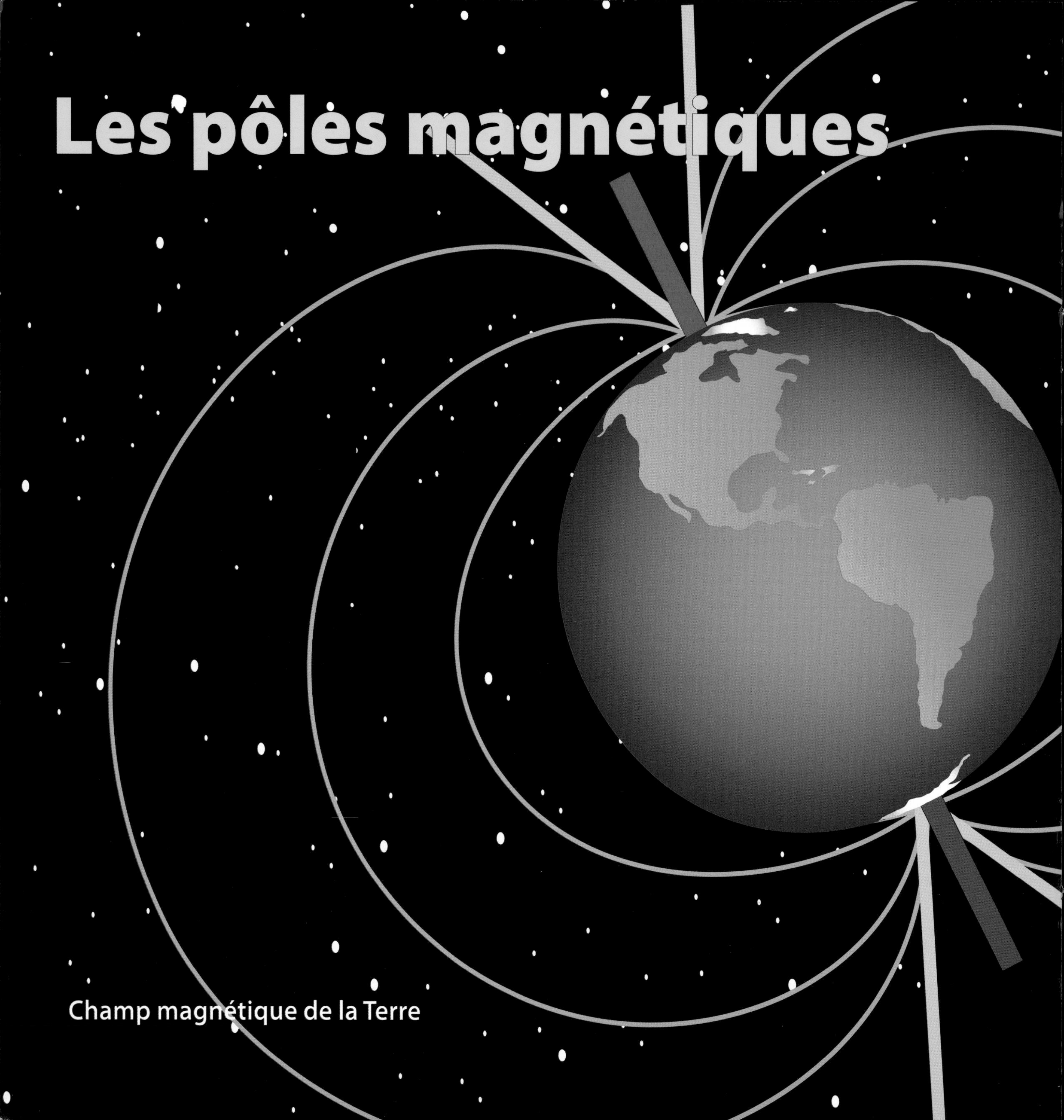
Les pôles magnétiques
Champ magnétique de la Terre

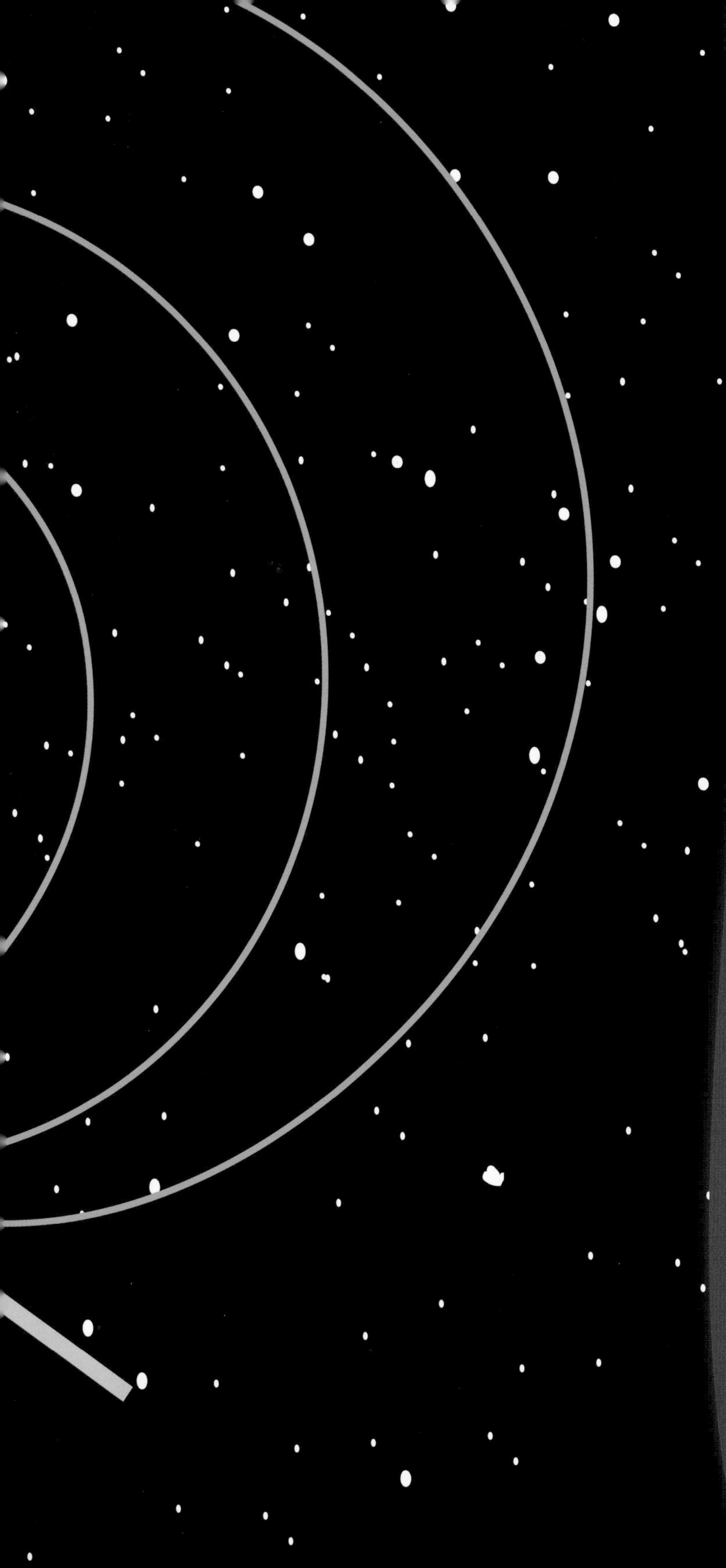

Il ne faut pas confondre les pôles géographiques (pôle Sud et pôle Nord) et les pôles magnétiques. Le pôle Nord magnétique est le point de la Terre où le champ magnétique terrestre pointe vers le bas. Il se déplace d'environ 40 km chaque année et a atteint le Canada en 2005 ! Le pôle Sud est quant à lui le point de la Terre où le champ magnétique terrestre pointe vers le haut. Il bouge aussi chaque année. En 2008, il se trouvait dans la mer en bordure de l'Antarctique.

L'aiguille de ta boussole indique le nord magnétique, et non le pôle Nord géographique !

Le pôle Nord et le réchauffement climatique

Durant l'hiver polaire, la mer gèle et forme une banquise. L'épaisseur de la glace d'une banquise peut atteindre plusieurs mètres d'épaisseur ! Tu pourrais donc tenir debout dans un carré de glace ! Une partie de cette banquise est permanente et ne fond jamais pendant l'été.

Depuis plusieurs années, le réchauffement de la planète a un impact très important sur la région arctique et sur la banquise permanente. En effet, sa superficie a diminué de plus de 25 % au cours des 20 dernières années, et des scientifiques croient que la banquise d'été pourrait disparaître complètement d'ici 2030.

Les icebergs

Les icebergs sont de gros blocs de glace qui se détachent des glaciers polaires et qui dérivent dans la mer. C'est un iceberg qui a causé le naufrage du Titanic en 1912 !

Environ 90 % de la taille de l'iceberg est situé en dessous de l'eau. Ainsi, lorsque tu vois un iceberg mesurant près de 30 mètres de hauteur surgir de la mer, tu dois te dire qu'il peut atteindre jusqu'à 300 mètres de profondeur !

Gouvernement du Québec – Programme de crédit d'impôt
pour l'édition de livres – Gestion Sodec

info@lesmalins.ca

Éditeur: Marc-André Audet
Textes: Annabelle Tas
Recherche: Annabelle Tas
Conception graphique et montage: Energik Communications

Dépôt légal – Bibliothèque et Archives nationales du Québec, 2011
Dépôt légal – Bibliothèque et Archives Canada, 2011

ISBN: 978-2-89657-129-1

Imprimé au Canada

Les éditions Les Malins inc.
1447, rue Wolfe
Montréal (Québec)
H2L 3J5